Je remercie Nespresso, partenaire enthousiaste de ce livre.
Et en particulier Guillaume Le Cunff, qui a immédiatement été séduit par l'idée
et a permis la rencontre avec Edouard Thomas et Alexis Rodriguez.
Ces deux experts café Nespresso ont été aussi passionnés qu'investis et ont su faire
entrer dans ce livre tout l'univers du café.
Je remercie également Yannick, Florence et Leslie m'ayant permis
de concrétiser cette idée qui me trottait en tête depuis un moment.
Je dédie ce livre à toute mon équipe qui quotidiennement me ravit et plus spécialement
à Patricia, Florian, Alain, Joachim, David et Nico ainsi qu'à Laurent Soenen, mon chef,
qui après tant d'années a accepté d'être aussi un ami.
A ma femme qui ne me voit pas souvent mais toujours heureux.
A Xavier et Yan qui ne me quittent pas.

Pierre Marcolini

Dépôt légal : décembre 2011
ISBN 978-2-919548-00-2

PIERRE MARCOLINI

CHOCOLATCAFÉ

PHOTOGRAPHIES
XAVIER HARCQ

DIRECTION ARTISTISQUE, DESIGN & RÉALISATION
YAN PENNOR'S

COLLABORATION RÉDACTIONNELLE
LESLIE GOGOIS

EXPERTS CAFÉ, NESPRESSO
ALEXIS RODRIGUEZ,
ÉDOUARD THOMAS

VENEZUELA · OCCUMARE   VENEZUELA · SUR DEL LAGO   MEXIQUE · LA JOYA

CUBA · BARACOA   BRÉSIL · SAO PEDRO   ÉQUATEUR · PUERTO ROMANO

GHANA · BULK   JAVA · CASSE CLAIRE   TOGO · FORASTERO

Taille réelle

Histoire du canard délicieux
Ou la réinterprétation des souvenirs

Bien sûr, ceci n'est pas un tome, il est trop fin. C'est davantage une balade, un mémorandum ou si vous préférez une escapade du bout des doigts, telle une mouillette de parfumeur.

L'image peut sembler osée, mais elle me paraît juste, tant une odeur fait resurgir un passé lointain qui se concrétise en un goût précis.

La Belgique est le pays du chocolat. Elle a inventé la praline, qu'on nomme aussi bonbon voire crotte de chocolat à Paris, mais elle aime aussi le café. Où, ailleurs, peut-on avoir le choix entre un long, un moyen, un petit simple, un double ou petit expresso (à préciser lors de la commande !) accompagné de crème ou de lait ? Cependant, sur la soucoupe trônera toujours un chocolat. Quel plaisir, quand j'étais petit, qu'on me laisse tremper celui-ci dans le café. J'adorais l'association de ces deux goûts.

Devenu pâtissier, puis chocolatier, c'est exactement cette sensation que j'ai souhaité retrouver. Cette osmose, ce mariage réussi de graines pas si différentes qu'il n'y paraît. Le piment, le poivre, la cannelle, la noix de muscade, d'autres baies et racines, d'où des rapprochements et des harmonies souvent justes, partagent avec les caféiers et les cacaoyers les mêmes cieux et la même terre.

Les vrais amateurs recherchent et apprécient des vins ou des cafés qui s'expriment dans un terroir, entre des mains attentives. Partageant cette philosophie, et puisqu'ils ont donné le "la" il y a fort longtemps, j'ai joué ma partition de chocolat en proposant les "Grand crus de Propriété" : des arbres anciens, le plus souvent possible, portant des cabosses aux fruits complexes dans de petites exploitations gérées avec affection et bienveillance.

Mimétisme absolu, le grain et la fève doivent absolument passer par la torréfaction pour devenir du café et du chocolat, opération fondamentale et délicate d'où naissent les arômes.

Méticuleusement torréfiés, le café fini en poudre, pas le chocolat qui attend une texture.

Le secret ? "16 microns", soit beaucoup d'énergie et de temps pour cette sensation d'une caresse de soie sur la langue. Un chocolat plus ample qui s'abandonnera en une rémanence d'une longueur inoubliable.

Je suis tombé sous le charme de ces petites dosettes de couleur qui servent tel un métronome, précisément le café que l'on aime. Je les ai décortiquées, bien sûr, et tous ces grands crus de café m'ont donné envie de réaliser ce livre. Fondées sur une combinaison des goûts, toutes les recettes que je vous propose ici sont très simples. Chacun à sa place, mais une véritable connivence entre les deux acteurs principaux, le profond chocolat semble émoustillé par le scintillement du café.

Du fort sur du poli, quel beau mariage pour ce petit garçon que je suis toujours, à la recherche de nouveaux souvenirs.

Pierre Marcolini

LE PAYS DU MYSTÈRE PROPOSE L'

ACCORD PARFAIT

16 Grands Crus
au service des papilles

Chez Nespresso, il existe 16 grands crus, tous uniques.
A choisir en fonction de ses goûts, son humeur ou de l'instant de la journée. Tour d'horizon de leurs spécificités…

LES ESPRESSOS

RISTRETTO, puissant et contrasté
Intensité : 10 • Mots-clés : corsé, brûlant, incisif

Ce mélange d'Arabicas sud-américains, est-africains et d'une touche de Robusta, est à la fois intense en goût et en corps. On y découvre de subtiles notes fruitées et torréfiées. Le tout adoucies par des notes chocolatées. Un contraste délicat entre force et amertume.

ARPEGGIO, intense et crémeux
Intensité : 9 • Mots-clés : dense, crémeux, cacao

Pur Arabica d'Amérique du Sud et Centrale, hautement torréfié, il a un caractère puissant, rehaussé de notes cacaotées et grillées.

ROMA, complexe et équilibré
Intensité : 8 • Mots-clés : bois tendre, fougueux

Cultivé à haute altitude, l'Arabica d'Amérique Centrale apporte sa finesse, tandis que l'Arabica du Brésil et le Robusta donnent du corps et de la profondeur en bouche. On y retrouve des notes boisées et grillées, révélées par la torréfaction légère de plusieurs origines aux goûts intenses.

LIVANTO, équilibré et harmonieux
Intensité : 6 • Mots-clés : caramel, rond

Ce mélange est composé des Arabicas les plus nobles d'Amérique Centrale et du Sud, comme le Costa Rica et la Colombie. Le tout traité selon des méthodes traditionnelles pour préserver leurs profils typiques, maltés, fruités. On apprécie la combinaison de notes céréales, maltées, caramélisées et légèrement fruitées.

CAPRICCIO, riche et singulier
Intensité : 5 • Mots-clés : céréales sèches, fluide

Il s'agit d'un espresso au bouquet riche. Ici, domine une note céréale typique, déjà perceptible au "nez" et équilibrée par une fine acidité.

VOLLUTO, doux et fruité
Intensité : 4 • Mots-clés : biscuité, moelleux

Il est composé à 100 % de cafés issus du programme Nespresso AAA Sustainable Quality, une initiative d'aide aux producteurs. Les Arabicas du Brésil et de Colombie qui le composent proviennent de petites plantations produisant un café de très haute qualité. On est séduit par ses notes douces et fruitées.

COSI, léger et rafraîchissant
Intensité : 3 • Mots-clés : citronné, tonique

Une combinaison des meilleurs Arabicas du Kenya apporte à ce mélange une note de citron caractéristique, harmonisée par la douceur et la légèreté des Arabicas d'Amérique Centrale et du Sud.

les Pure Origine

INDRIYA FROM INDIA, puissant et épicé
Intensité : 10 • Mots-clés : puissant, épicé, boisé

L'arabica et le Robusta sélectionnés poussent au Sud de l'Inde, à l'ombre de grands arbres abritant également la culture du poivre et de diverses épices. Provenant de plantations de haute altitude, l'Arabica est un café très pur avec beaucoup d'intensité et peu d'amertume. Seuls les grains absolument parfaits sont conservés après un tri minutieux. On découvre des notes cacao et végétales sèches ainsi qu'un bouquet épicé rappelant le clou de girofle, le poivre et la noix de muscade.

ROSABAYA DE COLOMBIA, fruité et équilibré
Intensité : 6 • Mots-clés : fruits rouges, charpenté

Les variétés qui composent ce "Pure Origine" sont cultivées par de petits caféiculteurs, dans la région la plus haute de Colombie. Ce mélange de grands Arabicas, torréfiés séparément, développe une fine acidité avec des notes typiques de fruits rouges évoquant le vin : groseille, cassis et cranberries séchées.

DULSÃO DO BRASIL, doux et moelleux
Intensité : 5 • Mots-clés : miel, suave, doux

Il s'agit d'un mélange de cafés Bourbon rouge et jaune, qui proviennent de plantations de haute altitude au Sud du Brésil. Cueillis à la main, les grains dépulpés sont séchés au soleil avec leur mucilage pour apporter plus de douceur au café. La torréfaction séparée des grains apporte rondeur et équilibre, tout en révélant des notes de miel, sirop d'érable et malt.

les Lungos

FORTISSIO LUNGO, riche et intense
Intensité : 7 • Mots-clés : bois cendré, intense

Ce mélange corsé, au corps et à l'amertume bien présents, dévoile des notes de grains intensément torréfiés. Mais aussi des arômes boisés et végétaux, renforcés par la note céréale typique apportée par la pointe de Robusta.

VIVALTO LUNGO, complexe et équilibré
Intensité : 4 • Mots-clés : torréfié, floral, généreux

Voilà un mélange contrasté. Les Arabicas d'Amérique du Sud, cultivés à haute altitude, apportent une légère acidité. L'Arabica d'Ethiopie ajoute sa touche florale et le café Sud de Minas du Brésil renforce le caractère marqué tout en développant l'amertume. On sent des notes à la fois boisées et torréfiées.

FINEZZO LUNGO, fleuri et rafraîchissant
Intensité : 3 • Mots-clés : jasmin, délicat, désaltérant

Ce café très aromatique offre un délicat bouquet de notes fleuries, rappelant le jasmin, la fleur d'oranger et la bergamote. On le doit à un mélange des Arabicas les plus nobles, légèrement torréfiés.

les Decaffeinatos

DECAFFEINATO INTENSO, dense et puissant
Intensité : 7 • Mots-clés : céréales toastées, ample

L'association d'Arabicas d'Amérique du Sud avec une touche de Robusta, hautement torréfiés, révèle de subtiles notes de cacao et de céréales grillées.

DECAFFEINATO LUNGO, léger et savoureux
Intensité : 3 • Mots-clés : souple, pain grillé

Il s'agit d'un mélange d'Arabicas d'Amérique du Sud et d'une touche de Robusta. Torréfié de façon lente et soutenue, ce café présente une note de céréales grillées, supportée par un corps onctueux.

DECAFFEINATO, fruité et délicat
Intensité : 2 • Mots-clés : fruité vin, rafraîchissant

Une torréfaction courte et légère accentue le caractère fruité de ce café. Ses notes de fruits rouges sont typiques de certains accords de vins, adoucies par des notes de fruits secs, de graines et d'une touche "beurrée-lactée".

À la Découverte des Grands Crus Nespresso

Avec Alexis Rodriguez, expert café chez Nespresso

Comment se passe la création d'un café chez Nespresso ?

ALEXIS RODRIGUEZ : Avant de créer un blend (c'est-à-dire un mélange de plusieurs crus) ou un single origine (à savoir un seul cru de café), il y a beaucoup de travail. L'origine d'un café, ce n'est pas un pays mais un terroir. Le terroir en question doit livrer certaines caractéristiques, c'est ce qui fera la typicité d'un café. La difficulté consiste à pouvoir garantir typicité et volume. On cherche à offrir une grande régularité à nos clients. Comme le café est un produit agricole, la nature joue un rôle considérable. Selon les conditions climatiques, tout peut changer…

Justement, comment pouvez-vous garantir cette régularité ?

A.R. : Nespresso s'est lancé dans un programme d'agriculture durable, appelé AAA, qui assure le volume nécessaire à notre production. En proposant un prix juste aux producteurs, qui leur permet de vivre de la culture du café, on est sûrs d'avoir une quantité fixe d'un café de qualité.

Vous évoquiez l'impact du climat sur le café. Qu'en est-il vraiment ?

A. R. : Le café, c'est une plante, un être vivant. S'il y a trop de soleil, une couche plus large se développe, par exemple, sur le dessus du grain ce qui le rend moins bon. L'idéal, c'est d'avoir un climat sec et assez froid. C'est comme ça qu'on obtient une acidité fine, celle qui fait saliver mais sans être désagréable en bouche.

Parlez-nous des "blend". Qu'ont-ils de spécifiques par rapport aux "single origine" ?

A.R. : Les blend sont plus aromatiques, ils ont plus de corps. Pour les réaliser, il faut en choisir les composants, les proportions et la façon de les torréfier. Avec les blend, 1 + 1, ça ne fait pas 2… Il faut de nombreux tests et dégustations avant de trouver l'équilibre parfait, le blend qui fait rêver…

Et les "single pure origine" ?

A.R. : Prenez l'exemple du Rosabaya de Colombia, il vient de 2 régions différentes, 2 terroirs. L'un est à 2000 m d'altitude, alors que l'autre est à 1600 m, sur de hauts plateaux. On utilise une proportion et une torréfaction différentes pour ces deux provenances, ensuite on mélange le tout pour obtenir ce goût si spécifique. On cherche vraiment la combinaison parfaite pour que le consommateur retrouve, au niveau gustatif, une origine en particulier.

Nespresso est connu pour offrir une qualité constante. Comment la garantissez-vous ?

A.R. : Le contrôle qualité est une étape primordiale pour nous, c'est comme un test de paternité. Nous avons un protocole qui est réglé pour chaque café de la gamme Nespresso et nous nous y tenons à la lettre. Par ailleurs, nous venons d'installer un tout nouvel entrepôt en Belgique, à Bruges. Tout y est fait pour garder la typicité d'un café : la température est constante (19 °C, + ou – 2 degrés) avec 40 à 60 % d'humidité. L'air est filtré toutes les heures pour éliminer la moindre impureté ou poussière. Il n'y a aucun contact avec les U.V., ce qui permet d'éviter l'altération de la couleur des grains de café. Si le café vert est mal stocké, il faut savoir qu'il développe un goût boisé, ligneux, très désagréable… Chez Nespresso, on ne garde jamais le café plus de 3 ou 4 mois.

LES 5 RÈGLES D'OR POUR BIEN DÉGUSTER UN CAFÉ

Avec Edouard Thomas, expert café, chez Nespresso

1 · Miser sur une eau pure, faible en minéraux

Selon l'eau utilisée, le goût du café change. Cela joue sur son acidité. En fonction de la composition et la température de l'eau (qui est contrôlée par la machine à café), la saveur évolue considérablement. Une eau trop dure altère l'acidité et la mousse. Pour obtenir un café pur, il faut une eau pure, faible en minéraux. Sinon, on ressent des notes parasites en bouche.

2 · Savoir que le café réagit immédiatement à l'oxygène, à l'humidité

L'air provoque, en effet, une réaction d'oxydation du café. Les consommateurs ne ressentent pas forcément les notes oxydées s'ils sont habitués à déguster le café avec ce défaut. C'est pour cette raison qu'il faut impérativement préserver la fraîcheur du café. C'est le rôle des capsules. Une fois que le café est torréfié, il ne doit pas être en contact avec l'oxygène. Un emballage hermétique est primordial. Pour qu'un café soit au maximum de ses saveurs, il ne doit avoir ni lumière, ni température élevée ou humidité.

3 · Ne pas le conserver au réfrigérateur

C'est déconseillé car le café se retrouve dans une atmosphère humide. L'idéal, c'est le congélateur.

4 · Respecter la taille de la tasse

Un ristretto, c'est 25 ml, un expresso 40 ml et un lungo 110 ml. Pour un "lungo" (café long), l'eau passe par exemple plus vite à travers le café moulu.

5 · Déguster le café sans attendre

Une fois que le café est prêt, il faut le consommer sans tarder pour bénéficier de la température idéale de dégustation de 65 à 67 degrés. Trop chaud, on ne perçoit pas bien les arômes et on peut se brûler ; pas assez chaud, il est beaucoup moins agréable à boire.

CHOCOLAT-CAFÉ,
UNE RENCONTRE RÉUSSIE

Séparés, ces deux ingrédients ont déjà tout pour plaire. Quand on les combine, leur association devient détonante. Encore faut-il trouver le bon chocolat qui va avec le bon café. Alexis Rodriguez, expert café chez Nespresso, est spécialisé dans les cafés verts, ceux qui sont tout juste récoltés avant d'être torréfiés. Il garantit leur qualité et développe de nouveaux produits en créant des "blend" inédits. Edouard Thomas, est lui aussi un expert café, responsable du goût et de son évaluation. Il n'a pas son pareil pour décrire les grands crus de café, trouver les harmonies de goût. Un vrai "sommelier" du café. Alors forcément quand ces deux passionnés se rencontrent, on découvre un univers à la fois complexe et attirant. Ils nous dévoilent tout ce que leur inspire l'alliance café-chocolat, deux ingrédients nobles et universels qui se marient particulièrement bien.

Quelle est la spécificité du café par rapport à d'autres produits ?

EDOUARD THOMAS : Le café est un produit très sensible, facile à altérer. Il faut le traiter avec soin. Chaque café est unique, il a sa propre personnalité et se différencie d'un autre par sa consistance, son goût, sa couleur…

Comment peut-on évaluer le goût d'un café ?

E. T. : Ce qui est incroyable avec le café, c'est que tout le monde en aime l'odeur. Et cela depuis l'enfance. Mais pour autant, il n'est pas facile de le décrire lorsqu'on le déguste. Selon le goût des gens, un café n'est pas toujours ressenti de la même façon. Là où certains évoquent une saveur fruitée rafraîchissante, d'autres sentiront la noisette grillée. Mon but est de réduire la subjectivité grâce à l'analyse sensorielle. On a donc mis au point une échelle d'évaluation qui permet de décrire les saveurs d'un café de façon objective. Nous sommes là en tant que juge impartial… Rappelons que pour entraîner quelqu'un à la dégustation, il ne faut pas moins de 6 mois. C'est un long travail avant de pouvoir évaluer un café.

Comment devient-on dégustateur ?

E. T. : Nos blind testers ont suivi un programme d'entraînement à la dégustation. On cherche à augmenter leur acuité sensorielle en les exposant à une large palette de flaveurs aromatiques. L'idée, c'est de déguster une sensation et de pouvoir y associer un mot. Cette association se fait au niveau du cerveau qui se dit « je connais ce goût ». On crée un déclic mental…

ALEXIS RODRIGUEZ : Il faut pouvoir dire "Ce café est acide" mais acide comment… L'idée, ce n'est pas seulement de détecter l'acidité mais d'être capable d'évaluer l'échelle d'intensité. Pour tester nos cafés, on fait appel à différents niveaux de dégustateurs : un groupe d'experts dont nous faisons partie avec Edouard, un panel interne et un panel externe. En plus d'une description objective (à quelle famille aromatique ce café appartient-il ?), on doit être capable d'en faire une qualitative : est-ce réussi ?

Entre les Italiens qui aiment les ristretto et les pays nordiques qui préfèrent les cafés longs, on imagine qu'il n'y a pas une règle universelle ?

A. R. : L'appréciation que l'on fait d'un café doit rester dans son contexte. Il existe une grande typologie culturelle. C'est vrai que les pays du Sud apprécient les cafés très serrés, là où les nordiques se tournent plus volontiers vers des cafés légers, plus acidulés. On retrouve, d'ailleurs, cette dichotomie avec le chocolat : les Anglo-Saxons aiment surtout le chocolat au lait, par rapport aux Français qui apprécient davantage le chocolat noir.

Justement, quelles similitudes peut-on trouver entre le café et le chocolat ?

E. T. : Café et chocolat ont la même complexité aromatique. Le café vert et la fève de cacao sont deux produits relativement semblables : leur saveur change selon le terroir, ils doivent fermenter tous les deux pour développer leurs arômes avant d'être torréfiés. Un parallèle est souvent fait entre le vin et le café mais il est encore plus évident entre le café et le chocolat. En revanche, le chocolat est souvent habillé, masqué par d'autres ingrédients tels que le sucre ou le lait. Là où le café ne peut pas se "cacher".

Côté saveurs, café et chocolat présentent aussi des points de comparaison ?

E. T. : On est dans le même registre aromatique. Que ce soit pour le café ou le chocolat, on retrouve des arômes fruités, floraux, torréfiés ou encore de céréales. La structure est identique, avec du fondant, de l'acidité, de l'amertume…

Comment bien les associer ?

E. T. : L'idée, c'est de rester dans le même registre. Si vous combinez un chocolat fruité avec un café fruité, vous serez dans le juste. L'harmonie sera a priori réussie. Comme ce sont deux produits puissants, il ne faut pas que l'un des deux prenne le pas sur l'autre. Par puissants, j'entends deux produits qui affirment leur caractère et où acidité et amertume ont leur place. Toute la difficulté, c'est d'arriver à contrebalancer les saveurs intenses de ces deux produits. L'évaluation séparée du chocolat et du café permet de prédire les combinaisons les plus harmonieuses qu'il faudra essayer par la suite. On a beau modéliser tant qu'on veut, on a toujours besoin de tester pour savoir si une alliance marche vraiment.

Quelles sont les associations qui fonctionnent ?

E. T. : Avec la densité et le caractère cacaoté d'un café Arpeggio, on doit associer un chocolat noir riche en goût et en texture. La délicatesse aromatique de Finezzo est bien respectée avec des chocolats à peine beurrés et subtils. Les cafés fruités et rafraîchissants comme le Decaffeinato ou le Rosabaya deviennent encore plus éclatants quand le chocolat allie le sucré et l'acidité.

Sur un chocolat au lait, on peut percevoir des notes de caramel et de toffee intéressantes quand on le couple avec un café rond comme Livanto.

Voici un dessert totalement régressif : les fameux petits pots au chocolat. Ici, ils ont été agrémentés de notes de café doux. Un régal.

Petits Pots frais

Pour 4 personnes
Temps de préparation : 45 min
Pas de cuisson · Repos : 2 à 3 heures environ

Pour le caramel
10 g de glucose
250 g de sucre fin
150 g d'eau chaude

Pour la crème Chocolat-Café
1 capsule de café Finezzo Lungo (jasmin, délicat, désaltérant) · 150 g de crème fraîche · 40 g de jaunes d'œufs · 15 g de sucre fin ·50 g de caramel (cf. ci-dessus) · 50 g de chocolat du Brésil, Bahia, Sao Pedro, grand cru de propriété, 78 % de cacao (doux)

1. Réaliser le caramel : faire fondre le glucose dans une casserole à fond épais. Quand il devient liquide, ajouter les 250 g de sucre progressivement. Laisser le caramel arriver à coloration vers 170°C. Verser l'eau chaude sur le caramel (attention à la vapeur et au bouillonnement). Refaire bouillir 2 à 3 min et laisser refroidir.
2. Pour la crème chocolat-café : ouvrir la capsule et récupérer le café. Chauffer la crème à 80°C et ajouter le café moulu. Laisser infuser à couvert pendant 10 min environ. Passer au chinois et refaire bouillir. Verser une partie de la crème infusée au café sur les jaunes mélangés au 15 g de sucre. Reverser le tout dans la casserole avec le reste ce crème infusée et cuire à la nappe à 83-84°C. Verser sur le chocolat haché en petits morceaux. Ajouter le caramel et mixer. Répartir le tout dans de petits pots. Laisser refroidir quelques heures au réfrigérateur. Déguster froid.

L'astuce de Pierre Marcolini
Dans la 2ème étape, lorsque vous devez "cuire à la nappe" la crème, il s'agit de la cuire à feu doux, tout en mélangeant à l'aide d'une cuillère en bois. Il faut arrêter la cuisson lorsqu'une trace de doigt tracée sur la cuillère nappée de crème ne disparaît pas. Ce mode de cuisson très lent permet à la crème de bien épaissir.

ACCORD PARFAIT

Nous sommes sur un chocolat type Forastero, de la région de Bahia, avec des notes toutes en douceur, en rondeur, légèrement beurrées. Avec le café Finezzo Lungo, qui révèle lui aussi des arômes très délicats, le mariage est excellent.

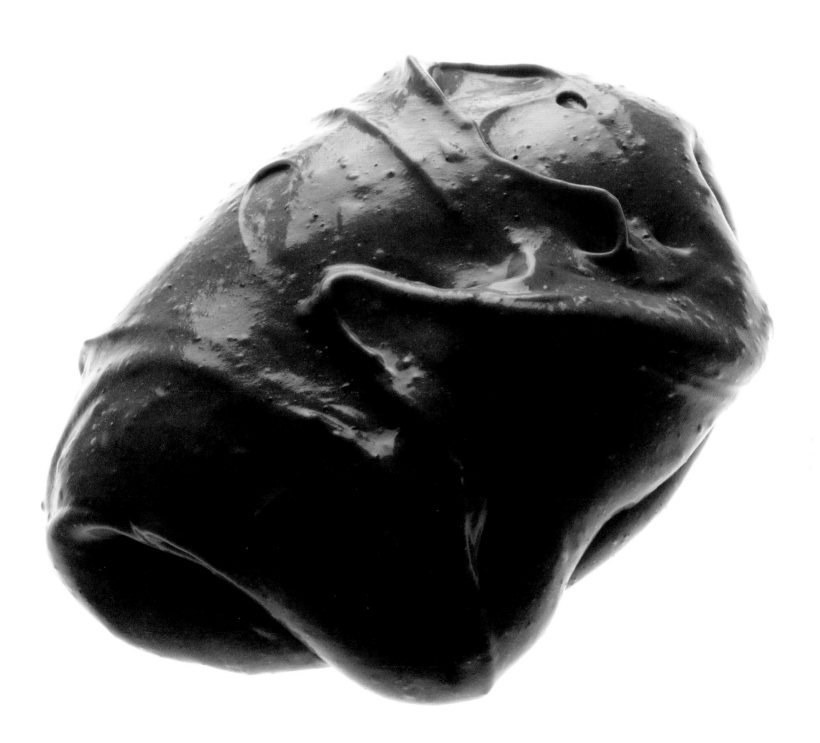

Ce dessert est à la fois simple à préparer et vraiment bluffant. L'union du chocolat au lait et du Decaffeinato Intenso fonctionne à merveille. De quoi épater la galerie lorsque vous affirmerez "C'est moi qui l'ai fait"...

CRÈME LÉGÈRE AU CAFÉ ET MERINGUE

Pour 6 personnes
Temps de préparation : 45 min
Pas de cuisson · Repos : 1 nuit

600 g de crème fraîche
250 g de chocolat au lait "maison" (fruité et lacté)
½ tasse de café Decaffeinato Intenso, soit 20 ml
(céréales toastées, ample)
150 g de blancs d'œufs · 100 g de sucre fin
15 g de cacao en poudre

1. Faire chauffer 300 g de crème. Verser sur le chocolat haché et mélanger doucement, afin de réaliser une ganache onctueuse et souple. Verser dans un cercle de 10 cm diamètre sur une épaisseur de 5 mm. Laisser durcir une nuit au réfrigérateur.
2. Le lendemain, battre les 300 g restants de crème fraîche avec la demi-tasse de café pour monter une crème Chantilly au café. Réserver au frais. Puis réaliser la meringue au chocolat : battre les blancs d'œufs et verser en pluie le sucre. Quand les blancs sont montés et encore bien onctueux, ajouter délicatement le cacao en poudre. Dresser l'appareil en forme de dôme de 8 cm de diamètre sur un papier sulfurisé. Cuire au micro-ondes pendant 13 sec à 650 W.
3. Placer le disque de ganache sur une assiette. Puis ajouter la meringue cuite à l'instant et dresser des rouleaux de crème Chantilly au café. Vous pouvez ajouter des pointes de praliné sur l'assiette pour la décorer.

L'ASTUCE DE PIERRE MARCOLINI
POUR RÉUSSIR VOTRE CRÈME CHANTILLY CAFÉ, IL FAUT QUE LA CRÈME FRAÎCHE ET LE RÉCIPIENT DANS LEQUEL ON LA MONTE SOIENT TRÈS FROIDS. DÉPOSEZ LA CRÈME FRAÎCHE DANS UN CUL DE POULE ET PLACEZ LE TOUT AU RÉFRIGÉRATEUR PENDANT 15 MINUTES AVANT DE BATTRE LA CRÈME.

ACCORD PARFAIT

Ici, c'est l'idée qu'on se fait d'un bon café au lait qui a été retranscrite en dessert. Il fallait miser sur une alliance entre un café puissant et un chocolat au lait onctueux. Comme les fèves Forastero, qui viennent tout droit du nord de Madagascar, avec lesquelles on prépare notre chocolat au lait "maison".

MOINS CONNUE QUE SA CAMARADE AU CHOCOLAT, LA TARTE AU CAFÉ EST POURTANT UN DESSERT GOURMAND QUI SÉDUIT LES GOURMETS. VOILÀ DE QUOI L'APPRÉCIER À SA JUSTE VALEUR... SURTOUT AVEC CETTE VERSION RAFRAÎCHISSANTE OÙ LA CRÈME AU CAFÉ EST SERVIE ENCORE CONGELÉE SUR LA PÂTE SABLÉE.

TARTE CHOCOLAT-CAFÉ

POUR 8 PERSONNES
TEMPS DE PRÉPARATION : 55 MIN
TEMPS DE CUISSON : 30 MIN
REPOS : 2 HEURES + 1 NUIT

POUR LA PÂTE SABLÉE

70 g de beurre doux • 40 g de sucre glace
1 pincée de sel fin • 40 g de poudre d'amande
100 g de farine • 25 g d'œufs entiers

POUR LA MOUSSE AU CAFÉ

2 feuilles de gélatine • 110 g de chocolat au lait "maison" (lacté et fruité)
355 g de crème fraîche • 50 g de sucre en poudre • 15 g d'eau
30 g de jaunes d'œufs • 1 capsule de café Roma (bois tendre, fougueux)

1. Réaliser la pâte sablée : ramollir le beurre en pommade. Ajouter le sucre glace, le sel et la poudre d'amande. Incorporer la moitié de la farine puis l'œuf. Terminer avec le reste de farine. Réserver 2 heures au réfrigérateur. Abaisser la pâte sur 2 à 3 mm d'épaisseur. Détailler un disque de 18 cm de diamètre et foncer dans un cercle de 16 cm de diamètre. Piquer le fond de tarte, à l'aide d'une fourchette. Cuire dans un four préchauffé à 180°C pendant 25 à 30 min environ.
2. Pour la mousse au café : tremper les feuilles de gélatine dans un bol d'eau froide pour les ramollir. Fondre le chocolat. Monter 240 g de crème au ¾ et réserver au réfrigérateur. Cuire le sucre et l'eau à 121°C et verser ce mélange sur les jaunes d'œufs, en fouettant. Faire monter au batteur jusqu'à refroidissement.
3. Ouvrir la capsule et récupérer le café. Chauffer le reste de crème fraîche (soit 115 g). Y ajouter le café moulu. Laisser infuser pendant 10 min à couvert. Passer au chinois. Verser cette infusion sur le chocolat fondu. Ajouter la gélatine ramollie et essorée. Mixer jusqu'à obtention d'un mélange homogène. Ajouter la crème montée à la maryse et terminer avec les jaunes montés. Dresser dans des cercle de 14 cm de diamètre sur 2 cm d'épaisseur. Laisser une nuit au congélateur.
4. Au moment de dresser, démouler la mousse encore congelée et la déposer délicatement sur le fond de tarte cuit.

L'ASTUCE DE PIERRE MARCOLINI

VOUS POUVEZ PRÉPARER LE DISQUE DE MOUSSE AU CAFÉ À L'AVANCE. DANS CE CAS-LÀ, PLACEZ-LE AU CONGÉLATEUR ET SORTEZ-LE AU MOMENT VOULU. DE QUOI GAGNER DU TEMPS LE JOUR J. ET SACHEZ QUE POUR VARIER LES PLAISIRS, VOUS POUVEZ REMPLACER LE CAFÉ ROMA PAR UN DECAFFEINATO.

ACCORD PARFAIT

Ici, avec le Roma, on a un café riche et équilibré, qui est vraiment complémentaire du chocolat au lait "maison", à la fois lacté et frais en bouche.

Derrière ce nom poétique, se cachent des bouchées toutes en meringue et voile de café. Pour les réussir, il suffit de prendre le coup de main avec la poche à douille et de réaliser des traits de meringue bien droits. Une gourmandise qui fera des heureux, à l'heure du café.

Doigts de Fée

Pour 30 doigts de fée environ
Temps de préparation : 30 min
Temps de cuisson : 2 heures

1 gousse de vanille de Tahiti
200 g de blancs d'œufs
200 g de sucre fin
200 g de sucre glace
1 capsule de café Finezzo Lungo (jasmin, délicat, désaltérant)
80 g de chocolat noir du Mexique, Tabasco, grand cru de propriété, 78 % de cacao (floral)

1. Fendre la gousse de vanille et en récupérer les grains. Battre les blancs d'œufs en neige avec les grains de vanille. Ajouter petit à petit le sucre fin. Puis verser le sucre glace en pluie et mélanger délicatement à la maryse.
2. A l'aide d'une poche à douille, réaliser de longs bâtons de meringue sur un papier sulfurisé. Ouvrir la capsule et verser le café en pluie sur les bâtons de meringue. Cuire dans un four préchauffé à 100 °C pendant 2 heures. Laisser refroidir.
3. Faire fondre, lentement et sans dépasser les 32°C, le chocolat. Tremper les doigts de fée à la moitié dans le chocolat, poser sur un papier sulfurisé et laisser cristalliser.

L'ASTUCE DE PIERRE MARCOLINI
POUR RÉALISER DES BÂTONS DE MERINGUE BIEN DROITS, TRACEZ DES LIGNES AU DOS DU PAPIER SULFURISÉ AVANT DE LES DRESSER À L'AIDE DE LA POCHE À DOUILLE.

ACCORD PARFAIT

Pour cette recette, l'idée était de combiner un café fruité avec un chocolat de chez Clara Echeverria, de la région de Tabasco au Mexique. Ses notes acidulées et florales (jasmin, notamment) sont en parfaite adéquation avec le Finezzo Lungo, qui dévoile lui aussi des notes de jasmin.

FINANCIERS CHOCOLAT & CAFÉ

Pour 6 à 8 financiers
Temps de préparation : 35 min
Temps de cuisson : 15 min

100 g de beurre doux
1 capsule de café Fortissio Lungo (bois cendré, intense)
50 g de chocolat noir du Pérou, Alto Piura, grand cru de propriété, 86 % de cacao (puissant)
110 g de blancs d'œufs
50 g de poudre d'amande
130 g de sucre glace
35 g de farine
1 noix de beurre (pour beurrer les moules)

1. Faire fondre le beurre noisette. Ouvrir la capsule et y ajouter le café moulu. Laisser infuser pendant 10 min à couvert. Filtrer puis ajouter le chocolat cassé en petits morceaux. Mélanger et réserver. Chauffer les blancs d'œufs piquants (entre 55°C et 60°C). Ajouter la poudre d'amande, le sucre glace et la farine. Terminer par le beurre café – chocolat.
2. Beurrer des moules à financiers avant de verser la pâte (pas besoin de les beurrer si on utilise des moules en silicone). Cuire dans un four ventilé préchauffé à 180°C pendant 10 à 15 min environ.

L'ASTUCE DE PIERRE MARCOLINI
J'adore servir ces financiers accompagnés d'une confiture d'abricot pas trop sucré.

ACCORD PARFAIT

L'idée, c'est d'associer deux saveurs puissantes : un très grand chocolat, aux arômes de cacao intense et de fruits jaunes avec le Fortissio Lungo, un café dont les notes boisées et intensément grillées le rendent bien présent en bouche.

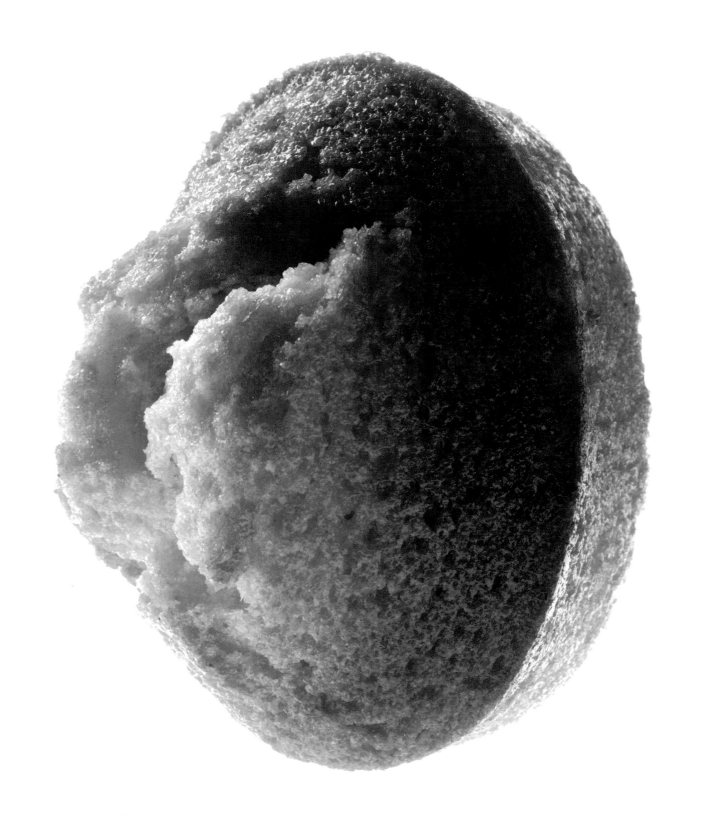

Carrés de Chocolat

Pour 8 personnes
Temps de préparation : 40 min
Pas de cuisson

160 g de chocolat noir de Cuba, Baracoa, grand cru de propriété, 78 % de cacao (puissant)
1 capsule de café Arpeggio (dense, crémeux, cacao)

1. Râper finement 2 ou 3 carrés de chocolat. Faire fondre le reste du chocolat au bain marie (pas trop chaud, à 35°C). Ajouter le chocolat râpé au chocolat fondu et ramener le chocolat à une température de 32°C. Puis l'étaler sur une feuille de papier sulfurisé. Ouvrir la capsule et saupoudrer de café. Laisser légèrement durcir pendant 2 min environ. Puis découper des carrés au couteau. Laisser durcir avant de déguster.

L'ASTUCE DE PIERRE MARCOLINI
POUR RÉUSSIR CES CARRÉS CHOCOLATÉS À TOUS LES COUPS, COULEZ LE CHOCOLAT FONDU SUR DES FEUILLES EN PLASTIQUE PUIS DÉCOUPEZ LES CARRÉS AVEC UN CURE-DENT.

ACCORD PARFAIT

Nous avons opté pour de sublimes fèves de la région de Baracoa. Ce qu'on ressent en bouche ? Des notes de cacao intense, de tabac, de noisette grillée. Du coup, le mariage avec l'Arpeggio aux notes cacaotées et boisées est idéal.

Les truffes au chocolat, voilà un grand classique qui emballe les papilles. Elles ont été ici revisitées en combinant chocolat blanc et café. Une version inédite à tester de toute urgence.

Truffes au Café

Pour 55 truffes environ
Temps de préparation : 30 min
Pas de cuisson · Repos : 1 nuit

Pour les truffes
220 g de crème fraîche à 35 % de matière grasse
2 capsules de café Fortissio Lungo (bois cendré, intense)
500 g de chocolat blanc (doux)
22 g de beurre de cacao
120 g de beurre doux

Pour l'enrobage
½ capsule de café Rosabaya de Colombia (fruits rouges, charpenté)
100 g de sucre glace
25 g de poudre de cacao

1. Faire chauffer la crème quelques instants. Ajouter le café Fortissio Lungo et laisser infuser pendant 10 min à couvert. Filtrer. Puis ajouter le chocolat blanc et le beurre de cacao fondus. Faire refroidir jusqu'à 35°C. Ajouter le beurre ramolli. Laisser refroidir une nuit au réfrigérateur.
2. Le lendemain, réaliser de petites boules de truffes, soit à la poche à douille, soit à l'aide d'une cuillère. Refroidir à nouveau au réfrigérateur. Réserver.
3. Réaliser l'enrobage : ouvrir la capsule et récupérer le café. Mélanger le sucre glace, la poudre de cacao et le café Rosabaya moulu. Rouler les boules dans ce mélange. Réserver au frais jusqu'à la dégustation

l'astuce de Pierre Marcolini
A la place de l'enrobage proposé, trempez vos truffes dans du chocolat au lait fondu. Une variante toute aussi délicieuse...

ACCORD PARFAIT

La douceur du chocolat blanc avec ses notes de crème, sel et vanille laisse la part belle aux deux cafés : le Fortissio Lungo qui sublime le goût de la ganache riche, intense et complexe ; et le Rosabaya de Colombia, dont l'agréable note fruitée, reste en bouche après la dégustation.

Ces petites bouchées sont démoniaquement bonnes. On ajoute un peu de sucre de canne brut sur le dessus des bouchées, juste avant de les passer au four. Histoire d'apporter un côté caramélisé qui sublime la saveur du café.

Bouchées au Café

Pour 20 bouchées environ
Temps de préparation : 20 min
Temps de cuisson : 15 min

½ capsule de café Vivalto Lungo (torréfié, floral, généreux)
150 g de massepain (pâte à base d'amandes moulues, blancs d'œufs et sucre)
50 g de jaunes d'œufs
1 tasse de café Ristretto, soit 25 ml (corsé, brûlant, incisif)
1 feuille de pâte filo
1 noisette de beurre (pour beurrer la pâte filo)
Sucre de canne brut en poudre
Confiture de mangue

1. Réaliser le fourrage au café : ouvrir la capsule de Vivalto et récupérer le café. Découper le massepain en petits morceaux et le mettre dans un robot-mixeur (style blender). Mixer puis ajouter petit à petit les jaunes d'œufs et la tasse de Ristretto. Terminer avec le Vivalto Lungo moulu.
2. Beurrer la feuille de pâte filo et découper des carrés de 7 cm de côté environ. Les déposer dans de petites alvéoles (moules en silicone ou moules traditionnels). Remplir le fond des alvéoles avec le fourrage café. Saupoudrer le tout de sucre de canne brut. Cuire dans un four préchauffé à 180°C pendant 15 min.
3. Laisser refroidir et servir ces bouchées avec une touche de confiture de mangue par-dessus.

L'ASTUCE DE PIERRE MARCOLINI
Sachez que vous pouvez préparer une variante au chocolat. Il suffit de remplacer les deux cafés (Ristretto et Vivalto) par 40 g de chocolat de Java fondu. Un vrai délice.

ACCORD PARFAIT

Pensez à déguster ces bouchées au café avec une tasse de chocolat chaud. Cela apportera une note intense et onctueuse de cacao qui se mariera particulièrement bien avec les saveurs florales et grillées du café.

Voilà une recette toute aussi inratable que délicieuse. N'hésitez pas à la réaliser avec vos enfants, ces petits cuistots en raffoleront...

Sablés doux Café-Chocolat

Pour 50 sablés environ
Temps de préparation : 30 min
Temps de cuisson : 25 à 30 min
Repos : 2 à 3 heures

120 g de beurre doux • 70 g de sucre glace
2 g de sel fin • 65 g de poudre d'amande
50 g de chocolat noir de Java, Kemdem Lembu, grand cru de propriété,
72 % de cacao (acidulé)
45 g d'œufs entiers
170 g de farine
15 g de cacao en poudre
1 œuf (pour dorer les sablés)
1 capsule de café Capriccio (céréales sèches, fluide)

1. Dans un saladier, mélanger le beurre en pommade avec le sucre glace, le sel, la poudre d'amande et le chocolat fondu. Puis ajouter, en alternance, les œufs et le mélange de farine et cacao en poudre.
2. Laisser durcir quelques heures au réfrigérateur dans un film alimentaire. Réaliser une abaisse de 7 mm environ. Découper des ronds, les badigeonner d'œuf battu à l'aide d'un pinceau alimentaire pour les faire dorer. Ouvrir la capsule et saupoudrer les sablés de café. Cuire dans un four préchauffé à 180°C pendant 25 à 30 min environ.

L'ASTUCE DE PIERRE MARCOLINI
La clé de la réussite ? Mélanger la pâte rapidement, afin de donner aux sablés un côté encore plus friable, "sablé" en bouche...

ACCORD PARFAIT

Le côté sablé doublé de la cuisson du café au four donne un résultat savoureux. Le chocolat noir de Java, provenant des fèves Trinitario apporte un jolie pointe acidulée qui décuple le goût de ces sablés.

Voilà un dessert tout en nuances : une crème chocolat aérienne, des cubes de gelée de café intense qui viennent apporter du pop, cette association est tout simplement diabolique. Et si vous ne trouvez pas de trimoline (sucre inverti qui permet d'apporter du corps, de la texture à la crème chocolat), ne vous arrêtez pas à ce détail : remplacez-la par du miel liquide.

ÉCLATS DE GELÉE DE CAFÉ

Pour 6 personnes
Temps de préparation : 45 min
Pas de cuisson · Repos : 2 à 3 heures

Pour la crème fraîche chocolat
200 g de crème fraîche • 40 g de chocolat noir de Cuba, Baracoa, grand cru de propriété, 78 % de cacao (puissant) • 4 g de trimoline (ou sucre inverti)

Pour la gelée de café
250 g d'eau
2 tasses de café Arpeggio, 2 x 25 ml (dense, crémeux, cacao)
20 g de sucre fin • 2 g d'agar agar

Pour la finition
Quelques éclats de chocolat noir • 2 cartouches de gaz (pour le siphon)

1. Pour la crème au chocolat, monter la crème au ¾. Faire fondre le chocolat à 50°C et y ajouter la trimoline. Incorporer délicatement la crème montée. Réserver au frais. Dès que la crème prend (20 min environ), réaliser des quenelles avec une grande cuillère à soupe plongée dans de l'eau chaude.
2. Pour la gelée au café, faire bouillir l'eau, ajouter les tasses de café. Laisser reposer à couvert pendant 10 min, hors du feu. Filtrer avant de faire bouillir à nouveau avec le sucre et l'agar agar.
3. Couler dans un récipient en plastique plat, afin de réaliser des cubes de gelée de café. Laisser durcir au réfrigérateur pendant quelques heures. Dresser dans un large verre ballon une quenelle de crème fraîche chocolat au siphon avec deux cartouches de gaz. Placer quelques éclats de chocolat noir et terminer par des cubes de gelée de café.

L'astuce de Pierre Marcolini
Pour que l'agar agar se dissolve mieux, pensez à le mélanger avec le sucre à sec avant de l'incorporer à l'infusion de café. Et pour rendre ce dessert encore plus gourmand, vous pouvez ajouter un peu de pâte à crumble cuite sur le dessus. Un régal.

ACCORD PARFAIT

La légèreté de cette mousse au chocolat contraste avec la force d'un café puissant. C'est ce qu'on a voulu retranscrire dans cette recette, un mix de douceur et d'intensité.

CERTAINS AMATEURS N'OSENT PAS SE LANCER DANS LES SOUFFLÉS. PEUR QUE ÇA NE MONTE PAS, PEUR DE RATER LA RECETTE… MAIS CELLE-CI, VOUS LA RÉUSSIREZ À TOUS LES COUPS. ALORS, POURQUOI SE PRIVER D'UNE TELLE GOURMANDISE ?

SOUFFLÉ AU CAFÉ

POUR 8 PERSONNES
TEMPS DE PRÉPARATION : 45 MIN
TEMPS DE CUISSON : 25 MIN

150 g de lait entier
60 g de jaunes d'œufs
110 g de sucre fin • 10 g de farine
10 g de fécule
1 tasse de café Ristretto, soit 25 ml (corsé, brûlant, incisif)
150 g de blancs d'œufs
1 pincée de sel
1 noix de beurre (pour beurrer les moules)
Un peu de sucre fin (pour sucrer les moules)
8 carrés de chocolat noir Blend Equateur, Cuba et Ghana (acidulé)

1. Chauffer le lait. Mélanger les jaunes, 30 g de sucre, la farine et la fécule en fouettant légèrement. Quand le lait bout, ajouter la tasse de café froid. Verser la moitié de ce mélange sur les jaunes. Mélanger et reverser dans la casserole contenant l'autre moitié de lait aromatisé au café. Cuire à feu doux jusqu'à ébullition. Puis retirer du feu, en mélangeant un peu.
2. Faire monter les blancs avec le sel et les 80 g restants de sucre, en plusieurs fois. Ne pas les monter trop fermes. Ajouter une partie des blancs montés dans la crème pâtissière chaude et mélanger le tout jusqu'à obtention d'un mélange bien homogène. Beurrer des moules individuels à soufflé et les sucrer (comme on farine un moule à cake). Dresser la pâte à raz, lisser et égaliser à la spatule. Laisser reposer 5 à 10 min à l'air.
3. Cuire dans un four préchauffé à 200°C pendant 25 min (chaleur statique). A la sortie du four, fendiller le dessus des soufflés et y glisser un carré de chocolat.

L'ASTUCE DE PIERRE MARCOLINI
APRÈS AVOIR LISSÉ LA PÂTE À L'AIDE D'UNE SPATULE, DÉCOLLEZ-LA DÉLICATEMENT DU BORD AVEC LE POUCE. VOS SOUFFLÉS MONTERONT AINSI BIEN DROITS, LORS DE LA CUISSON.

ACCORD PARFAIT

Ici, ce qui fonctionne si bien c'est d'avoir associé les notes acidulées et intenses du blend Equateur, Cuba et Ghana avec le Ristretto, un café puissant évidemment cacaoté avec de subtiles notes fraîches de fruits.

OH, COMME CES NOISETTES CARAMÉLISÉES TREMPÉES DANS LE CHOCOLAT FONDU SONT GOURMANDES... ON CRAQUE POUR LEUR GOÛT INTENSE DE CAFÉ, EN FIN DE BOUCHE.

Noisettes Café-Chocolat

Pour 50 noisettes café-chocolat environ
Temps de préparation : 1 heure
Temps de cuisson : 25 min

30 g de sucre de canne
2 capsules de café Cosi (citronné, tonique)
30 g d'eau
250 g de noisettes
200 g chocolat noir d'Equateur, Los Rios,
grand cru de propriété, 78 % de cacao (ample)
2 g de fleur de sel
100 g de sucre glace
25 g de poudre de cacao

1. Réaliser un sirop avec le sucre de canne, 1 capsule de café et l'eau. Ajouter les noisettes. Les caraméliser pendant 25 min, jusqu'à obtention d'une belle couleur brune. Verser les noisettes sur une plaque, en prenant soin de ne pas vous brûler. Faire refroidir jusqu'à 25°C. Puis les enrober 3 ou 4 fois dans le chocolat fondu mélangé avec la fleur de sel. Réserver.
2. Réaliser l'enrobage : mélanger le sucre avec la poudre de cacao et la capsule restante de café. Enrober les noisettes chocolatées de ce mélange.

L'ASTUCE DE PIERRE MARCOLINI
LORSQUE VOUS VERSEZ LES NOISETTES SUR UNE PLAQUE APRÈS LES AVOIR FAITES CARAMÉLISER, VEILLER À BIEN LES SÉPARER POUR ÉVITER QU'ELLES NE RESTENT COLLÉES ENTRE ELLES.

ACCORD PARFAIT

Une vrai mariage parfait entre les fèves de cacao de chez Pedro Martinetti qui apportent des notes de fruits secs et les noisettes grillées. Le café Cosi permet de terminer en bouche sur une note citronnée et tonique qui donne du peps à ces bouchées.

Quelle idée emballante de glisser quelques notes de réglisse dans une crème brûlée. Au final, on obtient un dessert revisité avec succès, rendu encore plus gourmand par le quenelle chocolatée qui l'accompagne.

Crème brûlée à la Réglisse, Quenelle Chocolat

Pour 10 personnes
Temps de préparation : 30 min
Temps de cuisson : 40 min

1 capsule de café Volluto (biscuité, moelleux)
350 g de lait entier
750 g de crème fraîche • 5 g de réglisse en poudre
70 g de jaunes d'œufs • 70 g de sucre fin
40 g de chocolat noir de Cuba, Baracoa, grand cru de propriété,
78 % de cacao (puissant)
4 g de trimoline (ou sucre inverti)
Sucre roux (pour caraméliser le dessus de la crème brûlée)
Feuille d'or (facultatif)

1. Ouvrir la capsule et récupérer le café. Mélanger le lait, 350 g de crème, la réglisse, le café moulu, les jaunes d'œufs et le sucre. Mixer. Passer au chinois et cuire au bain-marie à 100°C pendant 40 min environ (suivant la taille du moule à crème brûlée utilisé, le temps de cuisson peut varier : la crème est cuite lorsqu'elle est "prise"). Laisser refroidir avant de caraméliser le dessus avec le sucre roux et un chalumeau.
2. Monter les 400 g restants de crème au ¾. Faire fondre le chocolat à 50°C et ajouter la trimoline. Incorporer délicatement la crème montée. Réserver au frais. Dès que la crème prend, réaliser des quenelles avec une grande cuillère à soupe plongée dans de l'eau chaude. Ajouter la quenelle au centre de l'assiette. Vous pouvez finir avec un peu de feuille d'or.

L'astuce de Pierre Marcolini

Vous pouvez aussi utiliser un bâton de réglisse, à la place de la réglisse en poudre, pour réaliser ce dessert. Il suffit de le hacher et de l'ajouter à la crème qui aura été préalablement chauffée à 80°C. Laisser infuser quelques heures avant de filtrer. Puis mélanger avec les autres ingrédients.

Accord Parfait

Les fèves cubaines apportent des arômes puissants, ronds et forts, avec de légères notes de tabac. Lorsqu'on les associe à un café Volluto, à la fois doux et grillé, ainsi que des éclats de réglisse, on obtient un parfait équilibre en bouche.

PAIN PERDU AU CAFÉ & SAUCE CHOCOLAT

POUR 6 PERSONNES
Temps de préparation : 45 min
Temps de cuisson : 15 min · Repos : 2 heures

POUR LA BRIOCHE

275 g de farine • 6 g de sel • 40 g de sucre fin • 12 g de levure fraîche (ou boulangère) • 95 g de lait entier • 60 g d'œufs • 75 g de beurre doux
1 œuf battu (pour dorer) • 1 noisette de beurre et un peu de farine (pour beurrer le moule)

POUR LE PAIN PERDU

400 g de lait entier • 1 capsule de café Ristretto (corsé, brûlant, incisif)
6 jaunes d'œufs battus • Sucre fin ou sucre de canne (pour caraméliser)

POUR LA SAUCE CHOCOLAT

210 g de crème UHT • 95 g de sucre fin • 70 g de glucose • 100 g de chocolat noir du Pérou, Alto Piura, grand cru de propriété, 86 % de cacao (puissant)

1. Réaliser la brioche : à l'aide d'un batteur équipé d'un crochet à pétrir, mélanger la farine, le sel, les 40 g de sucre et la levure délayée dans les 95 g de lait. Mélanger doucement, ajouter les 60 g d'œufs petit à petit et terminer par le beurre à température ambiante. Pétrir jusqu'à ce que la pâte se décolle.
2. Placer la pâte dans un saladier recouvert d'un linge humide, la laisser pousser dans un endroit chaud pendant 2 heures environ puis la faire retomber en pétrissant un peu. Faire une boule et l'allonger pour la placer dans un moule rectangulaire beurré et fariné. Laisser pousser à nouveau (la brioche doit doubler de volume). À l'aide d'un pinceau alimentaire, badigeonner la brioche avec l'œuf battu. Cuire dans un four préchauffé à 210°C pendant 15 min. Laisser refroidir.
3. Couper des tranches ou des rectangles de brioche. Porter à ébullition les 400 g de lait. Ouvrir la capsule et récupérer le café. Ajouter le café moulu et laisser infuser pendant 10 min environ. Filtrer. Puis tremper la brioche dans le lait infusé ainsi que dans les 6 jaunes d'œufs battus. Les cuire à la poêle et saupoudrer de sucre fin ou de sucre de canne pour légèrement les caraméliser.
4. Réaliser la sauce chocolat : faire chauffer la crème, le sucre, le glucose et le chocolat à 103°C et verser dans de petites tasses Nespresso. Servir le pain perdu avec la sauce chocolat.

L'ASTUCE DE PIERRE MARCOLINI

L'IDÉAL EST DE RÉALISER CETTE RECETTE AVEC UNE BRIOCHE QUI A 1 OU 2 JOURS. IL NE FAUT PAS QU'ELLE SOIT TROP FRAÎCHE.

ACCORD PARFAIT

Ce pain perdu de brioche qu'on trempe dans un chocolat puissant de type Criollo, voilà un mélange détonant qui met en valeur les notes de cacao fort, de fruits secs, typiques d'Alto Piura, une magnifique région du nord du Pérou. On a choisi de parfumer le pain perdu avec un café, le Ristretto qui lui apporte une subtile fraîcheur et des arômes de fruits.

CETTE RECETTE CASSE COMPLÈTEMENT LES CODES ET C'EST PRÉCISÉMENT ÇA QU'ON AIME : L'ÎLE FLOTTANTE A ÉTÉ PARFUMÉE AU CAFÉ, QUANT À LA CRÈME ANGLAISE, ELLE A ÉTÉ TROQUÉE CONTRE UNE SOUPE AU CHOCOLAT BLANC. TERRIBLEMENT GOURMAND.

Ile flottante au Café, Soupe au Chocolat blanc

Pour 10 personnes
Temps de préparation : 40 min
Cuisson : 13 sec

Pour la soupe au chocolat
600 g de chocolat blanc (doux)
250 g de crème fraîche
250 g de lait entier

Pour les œufs en neige
100 g de blancs d'œufs
20 g de sucre fin
3 citrons verts
1 capsule de café Rosabaya de Colombia (fruits rouges, charpenté)

1. Réaliser la soupe au chocolat : hacher le chocolat blanc en petits morceaux. Chauffer la crème et le lait. Verser sur le chocolat et mélanger, afin d'obtenir une soupe onctueuse. Pour la rendre bien lisse, il est possible de la mixer quelques instants.

2. Pour les œufs en neige, battre les blancs d'œufs avec le sucre et les zestes de citrons verts. Les déposer avec une cuillère sur un papier sulfurisé et cuire au micro-ondes pendant 13 à 14 sec à 650 W. Dans une assiette creuse, verser la soupe de chocolat blanc. Terminer par les blancs en neige. Ouvrir la capsule et saupoudrer de café avant de servir.

L'ASTUCE DE PIERRE MARCOLINI
POUR APPORTER DU CROQUANT, AJOUTEZ QUELQUES AMANDES EFFILÉES POÊLÉES À SEC SUR LE DESSUS DES ÎLES FLOTTANTES.

ACCORD PARFAIT

Le chocolat blanc, c'est la douceur, le lacté. Il va apporter un côté beurré et sucré au Rosabaya, un café colombien, à la fois frais et fruité.

À L'HEURE DU CAFÉ, VOUS ALLEZ DEVENIR ACCRO À CES BOUCHÉES TRIPLEMENT SAVOUREUSES : AMANDE, CAFÉ ET CHOCO, UN VRAI TRIO GAGNANT.

Cubes de Pâte d'amande

Pour 50 cubes de pâte d'amande environ
Temps de préparation : 30 min
Pas de cuisson · Repos : 1 nuit

Pour le sirop

338 g de sucre fin · 250 g d'eau
12,5 g de glucose

Pour la pâte d'amande

200 g de poudre d'amande · 200 g de sucre glace
150 g de sirop (cf. ci-dessus) · 1 tasse de café Roma serré,
soit 25 ml (bois tendre, fougueux)

Pour les cubes

250 g de pâte d'amande (cf. ci-dessus) · 20 g de poudre de cacao
1 capsule de café Indriya from India (puissant, épicé, boisé)

1. Réaliser le sirop : faire bouillir le sucre, l'eau et le glucose. Dès que le mélange bout, retirer du feu et laisser refroidir.
2. Pour la pâte d'amande : mélanger la poudre d'amande avec le sucre glace et le sirop dans un robot mixer pendant quelques minutes. Mélanger doucement la pâte d'amande à la main avec la tasse de Roma froid, jusqu'à obtention d'une consistance souple. Laisser durcir une nuit au réfrigérateur.
3. Abaisser la pâte d'amande entre deux feuilles de papier sulfurisé, puis découper de petits cubes, à l'aide d'un couteau. Ouvrir la capsule de Indriya et récupérer le café. Rouler les cubes de pâte d'amande dans le cacao, mélangé au café Indriya moulu.

L'astuce de Pierre Marcolini

Pensez à ajouter quelques fruits secs (pistaches ou amandes) dans ces bouchées pour leur donner du croquant.

ACCORD PARFAIT

Le cacao un brin amer, la note d'amande douce et le café légèrement parfumé aux épices apportent une harmonie subtile à ces bouchées si gourmandes.

VOILÀ UN DESSERT QUI PORTE BIEN SON NOM : L'ALLIANCE DE
CHOCOLAT, CAFÉ ET MERINGUE EST TOUT SIMPLEMENT...
MERVEILLEUSE. PENSEZ À PRÉPARER VOS MERINGUES QUELQUES
JOURS À L'AVANCE, VOUS N'AUREZ PLUS QU'À RÉALISER LA
CRÈME CHANTILLY, LE JOUR J.

MERVEILLEUX

POUR 10 À 12 PERSONNES
TEMPS DE PRÉPARATION : 30 MIN
TEMPS DE CUISSON : 2 HEURES

POUR LA MERINGUE AU CAFÉ
1 capsule de café Ristretto (corsé, brûlant, incisif)
200 g de blancs d'œufs
200 g de sucre fin
200 g de sucre glace

POUR LA CRÈME CHANTILLY AU CAFÉ
200 g de crème fraîche
1 tasse de café Ristretto froid, soit 25 ml (corsé, brûlant, incisif)
20 g de sucre fin
100 g de chocolat noir d'Equateur Los Rios, grand cru de propriété,
78 % de cacao (ample)

1. Réaliser les meringues : ouvrir la capsule de Ristretto et récupérer le café. Battre les blancs d'œufs et verser progressivement les 200 g de sucre. Une fois les blancs montés, ajouter le sucre glace et le café moulu. Terminer de mélanger à la maryse. Dresser des cercles de 8 cm à l'aide d'une poche à douille unie. Cuire au four pendant 2 heures à basse température (100°C maximum). Réserver dans un endroit sec.
2. Pour la crème Chantilly : battre la crème fraîche avec la tasse de café froid. Verser progressivement les 20 g de sucre. Bien serrer la crème Chantilly.
3. Dresser sur les meringues des rosaces de Chantilly au café et terminer par une meringue sur le dessus. Réaliser des copeaux de chocolat, en "grattant" la tablette de chocolat à l'aide d'un grand couteau. Rouler le merveilleux dans les copeaux.

L'ASTUCE DE PIERRE MARCOLINI
PLACEZ LES MERVEILLEUX QUELQUES INSTANTS AU
CONGÉLATEUR AVANT DE LES ROULER DANS LES COPEAUX
DE CHOCOLAT.

ACCORD PARFAIT

Pour ce dessert tout en harmonie, nous avons deux éléments forts : le café Ristretto, intense, qui donne des notes vives légèrement fruitées et grillées et le chocolat équatorien qui, quant à lui, apporte des touches de fruits secs en bouche. Un vrai mélange gourmand qu'on doit notamment aux fèves de cacao de Pedro Martinetti, situées dans la région de Los Rios, une magnifique plantation qui a entre 50 et 80 ans.

Les notes de café et de chocolat alliées au croquant de l'amande rendent cette mignardise irrésistible. À dévorer sans modération.

AMANDES CHOCO-CAFÉ

Pour 50 amandes choco-café environ
Temps de préparation : 35 min
Temps de cuisson : 25 min

30 g de sucre de canne
30 g d'eau
250 g d'amandes
2 g de fleur de sel
200 g chocolat noir d'Equateur Los Rios,
grand cru de propriété, 78 % de cacao (ample)
100 g de sucre glace
25 g de poudre de cacao
1 capsule de café Rosabaya de Colombia
(fruits rouges, charpenté)

1. Réaliser un sirop avec le sucre de canne et l'eau. Ajouter les amandes. Les caraméliser pendant 25 min environ jusqu'à obtention d'une belle couleur brune. Verser les amandes sur une plaque, en prenant soin de ne pas vous brûler. Faire refroidir jusqu'à 25 °C. Puis les enrober 3 ou 4 fois dans le chocolat fondu mélangé avec la fleur de sel. Réserver.
2. Réaliser l'enrobage : ouvrir la capsule et récupérer le café. Puis mélanger le sucre glace avec la poudre de cacao et le café moulu. Enrober les amandes chocolatées de ce mélange.

L'ASTUCE DE PIERRE MARCOLINI
Pour que vos amandes choco-café gardent toute leur saveur, conservez-les dans une boîte hermétique

ACCORD PARFAIT

Les fèves de chez Pedro Martinetti de la région de Los Rios sont parfaitement adaptées pour cette mignardise. On découvre des notes de fruits secs, légèrement acidulées en fin de bouche. Idéal pour clôturer un bon repas. Quant au café Rosabaya, il s'est imposé pour cette recette car il permet d'accentuer la note de fruit.

UNE RECETTE TOUT SIMPLEMENT ÉPATANTE : ELLE SE PRÉPARE
EN UN TOUR DE MAIN ET LE RÉSULTAT EST JUSTE DIVIN.
QU'ATTENDEZ-VOUS POUR L'ESSAYER ?

SOUPE AU CHOCOLAT
& BLANC MANGER AU CAFÉ

POUR 8 PERSONNES
TEMPS DE PRÉPARATION : 30 MIN
CUISSON : 13 SEC

POUR LA SOUPE AU CHOCOLAT
200 g de chocolat au lait "maison" (fruité)
100 g de chocolat noir de Cuba, Baracoa, grand cru de propriété,
78 % de cacao (puissant)
100 g de crème fraîche
800 g de lait entier

POUR LE BLANC MANGER AU CAFÉ
100 g de blancs d'œufs
20 g de sucre en poudre
1 capsule de café Decaffeinato Lungo (souple, pain grillé)

1. Pour la soupe au chocolat, casser les deux chocolats en morceaux. Chauffer la crème et le lait. Verser sur le chocolat et mélanger, afin d'obtenir une soupe onctueuse. Vous pouvez mixer le tout pendant quelques secondes, pour la rendre lisse.
2. Pour le blanc-manger, battre les blancs d'œufs avec le sucre. Les déposer avec une cuillère sur un papier sulfurisé et cuire au micro-ondes pendant 13 à 14 sec à 650 W. Dans une assiette creuse, verser la soupe de chocolat tiède. Terminer par le blanc manger. Ouvrir la capsule et saupoudrer de café, juste avant de servir.

L'ASTUCE DE PIERRE MARCOLINI
ICI, ON VOUS PROPOSE CETTE RECETTE AVEC LE CAFÉ
DECAFFEINATO LUNGO. MAIS TESTEZ-LA AVEC LE CAFÉ
FINEZZO LUNGO. TOUT AUSSI DÉLICIEUX.

ACCORD PARFAIT

Le chocolat de Cuba apporte des notes cacaotées intenses. On termine sur une saveur de noisette grillée en fin de bouche. Le tout allié à la légèreté du blanc manger et à la pointe de café Decaffeinato Lungo, aux notes grillées. Un vrai régal.

GUIMAUVES CACAO-CAFÉ

POUR 10 PERSONNES
TEMPS DE PRÉPARATION : 35 MIN
PAS DE CUISSON

15 feuilles de gélatine
620 g de sucre fin
200 g d'eau
100 g de blancs d'œufs
1 capsule de café Roma (bois tendre, fougueux)
30 g de sucre glace
30 g de fécule de maïs
15 g de cacao en poudre

1. Tremper la gélatine dans l'eau froide pour la ramollir. Cuire le sucre avec l'eau. Lorsque le sucre atteint 110°C, monter les blancs. Puis lorsque le sucre atteint 121°C, verser les blancs en fouettant rapidement. Ajouter la gélatine ramollie et essorée au mélange blancs d'œufs et sucre. Stopper le mélangeur après refroidissement.
2. Ouvrir la capsule et récupérer le café. Mélanger le sucre glace avec la fécule de maïs, le cacao en poudre et le café moulu. Poudrer un cadre avec ce mélange et couler la guimauve. Lisser et poudrer à nouveau. Laisser refroidir à l'air libre pendant 1 heure. Couper les guimauves selon la taille désirée.

L'ASTUCE DE PIERRE MARCOLINI
QUELLE JOIE DE FAIRE DORER CES GUIMAUVES AU
BARBECUE, L'ÉTÉ...

ACCORD PARFAIT

La guimauve, légère et douce, laisse ici une place subtile aux saveurs du café Roma, à la fois boisé et grillé. Pour cette friandise, il fonctionne vraiment bien, notamment avec le cacao.

Une recette si courte et si facile à réaliser, honnêtement, vous n'avez aucune excuse pour ne pas la tenter. Un soir d'hiver au coin du feu, ou en version glacée pour l'été, vous allez l'adorer.

Chocolat Chaud au Café

Pour 3 à 4 personnes
Temps de préparation : 10 min
Pas de cuisson

90 g de chocolat noir du Venezuela, Aragua, Chuao, grand cru de propriété, 78 % de cacao (floral)
1 capsule de café Decaffeinato (fruité, rafraîchissant)
250 g de lait entier

1. Hacher le chocolat. Ouvrir la capsule et récupérer le café. Faire bouillir le lait avant d'y ajouter le café moulu. Filtrer puis verser sur le chocolat et mélanger. Servir chaud.

L'ASTUCE DE PIERRE MARCOLINI
La règle à connaître quand on prépare un chocolat chaud ? Plus on le fait cuire, plus il devient épais et onctueux.

ACCORD PARFAIT

Pour apporter une vraie personnalité à ce chocolat chaud, on a décidé de combiner le chocolat Chuao du Venezuela, aux notes prononcées de fruits rouges avec le café Decaffeinato, fruité avec une subtile fraîcheur.

54

CE DESSERT EST TOUT PLEIN D'ARÔMES ET DE FRAÎCHEUR.
VOUS POUVEZ AU CHOIX LE SERVIR EN PETITE QUANTITÉ COMME
UN PRÉ-DESSERT OU EN VRAI DESSERT.

COFFEE GRANITÉ
& SORBET CHOCOLAT

POUR 8 À 10 PERSONNES
TEMPS DE PRÉPARATION : 45 MIN
PAS DE CUISSON · REPOS : 1 NUIT

POUR LE GRANITÉ DE CAFÉ
33 cl d'eau
2 tasses de café Vivalto Lungo, soit 2 x 110 ml
(torréfié, floral, généreux) • 80 g de sucre fin

POUR LE SORBET CHOCOLAT
465 g de lait entier • 465 g d'eau • 60 g de trimoline (ou
sucre inverti) • 65 g de sucre fin • 25 g de cacao en
poudre • 50 g de chocolat noir du Venezuela, Aragua,
Chuao, grand cru de propriété, 78 % de cacao (floral)

1. Réaliser le granité : faire chauffer l'eau. Ajouter les 2 tasses de café. Laisser reposer pendant 10 min à couvert. Puis ajouter les 80 g de sucre. Placer quelques heures au congélateur et remuer à plusieurs reprises, à l'aide d'une fourchette, pour obtenir l'effet granité.
2. Pour le sorbet chocolat : faire bouillir tous les ingrédients ensemble, sauf le chocolat. Quand le mélange bout, ajouter le chocolat haché. Laisser refroidir une nuit avant de turbiner.

L'ASTUCE DE PIERRE MARCOLINI
PENSEZ À SERVIR CE DESSERT DANS UNE ASSIETTE BIEN
GLACÉE. SACHEZ AUSSI QUE VOUS POUVEZ PASSER LE BLOC
DE GRANITÉ À LA RÂPE À FROMAGE POUR OBTENIR DE BELLES
"PAILLETTES".

ACCORD PARFAIT

Le chocolat Chuao vient tout droit du Venezuela. Pour rivaliser avec ce merveilleux chocolat, aux arômes de fruits et de fleurs, il fallait un café généreux et plein d'expression, tel que le Vivalto Lungo.

VOILÀ UN DESSERT QUI FERA SÛREMENT L'UNANIMITÉ : UNE BELLE FRAÎCHEUR GRÂCE AUX AGRUMES ET LA GOURMANDISE AVEC DE DÉLICIEUSES MADELEINES CHOCOLATÉES. UN VRAI RÉGAL POUR LES GRANDS COMME LES PETITS.

SALADE D'AGRUMES AU CAFÉ ET MADELEINES AU CHOCOLAT

POUR 4 À 6 PERSONNES
Temps de préparation : 40 min
Temps de cuisson : 7 min · Repos : 1 nuit

POUR LA SALADE D'AGRUMES
3 pamplemousses roses • 3 oranges • 3 citrons verts • 40 cl d'eau
10 g de thé Earl Grey • 1 tasse de café Finezzo Lungo, soit 110 ml (jasmin, délicat, désaltérant) • 300 g de sucre fin

POUR LES MADELEINES AU CHOCOLAT
1 gousse de vanille de Tahiti • 315 g de beurre • 85 g de jaunes d'œufs • 210 g d'œufs entiers • 200 g de sucre fin • 262 g de farine • 8 g de sel • 10 g de backing powder • 1 zeste d'orange • 2 zestes de citron • 60 g de chocolat noir du Mexique, Tabasco, grand cru de propriété, 78 % de cacao (floral) • 90 g de miel liquide • 1 noisette de beurre pour les moules

1. Réaliser la salade d'agrumes : récupérer les segments des pamplemousses, des oranges ainsi que des citrons verts. Faire bouillir l'eau. Ajouter le thé et la tasse de café dans l'eau bouillante. Laisser infuser pendant 10 min à couvert. Filtrer avant d'ajouter les 300 g de sucre. Faire bouillir à nouveau. Hors du feu, ajouter les segments d'agrumes. Puis réserver au frais.
2. Réaliser les madeleines : fendre la gousse de vanille en deux et en récupérer les grains. Cuire le beurre noisette avec les grains de vanille. Monter les jaunes d'œufs et les œufs entiers avec les 200 g de sucre. Mélanger la farine, le sel et la backing powder. Tamiser ce mélange avant de l'ajouter aux œufs montés. Incorporer les zestes d'orange et de citron coupés en petits morceaux. Terminer en ajoutant le beurre noisette refroidi mélangé au chocolat fondu et au miel. Mélanger délicatement. Faire reposer la pâte filmée pendant 1 nuit au réfrigérateur.
3. Le lendemain, beurrer les moules à madeleine et verser la pâte dans chaque alvéole. Cuire au four à chaleur statique (ou non ventilé) à 210°C pendant 7 min. Servir la salade d'agrumes avec les madeleines au chocolat.

L'ASTUCE DE PIERRE MARCOLINI
POUR VARIER LES PLAISIRS, VOUS POUVEZ AUSSI SERVIR CETTE SALADE RAFRAÎCHISSANTE AVEC UN FINANCIER AU CAFÉ. POUR LA RECETTE, VOIR PAGE 22.

ACCORD PARFAIT

Le café Finezzo Lungo apporte une touche florale à la salade d'agrumes et renforce sa fraîcheur. Grâce à la madeleine au chocolat, ce dessert est complété par une note à la fois intense et florale de chocolat.

VOILÀ UN DÉLICIEUX DESSERT DEUX EN UN : D'UN CÔTÉ,
UN RIZ AU LAIT FONDANT RÉHAUSSÉ D'UNE AGRÉABLE NOTE
DE CAFÉ, DE L'AUTRE UN BROWNIE SUPER GOURMAND.
UN VRAI DUO GAGNANT…

RIZ AU LAIT CAFÉ & SON BROWNIE

Pour 10 personnes
Temps de préparation : 55 min
Temps de cuisson : 30 min (pour les fruits secs),
25 min (pour le brownie) et 30 min (pour le riz au lait)

Pour le brownie

48 g de fruits secs (pistaches, amandes, noisettes, pignons, noix…)
50 g de chocolat noir Venezuela, Chuao, Aragua, grand cru de
propriété, 78 % de cacao (floral) • 90 g de beurre
40 g de jaunes d'œufs • 60 g de sucre fin • 60 de cassonade
7 g de cacao en poudre • 20 g de farine • 48 g de blancs d'œufs

Pour le riz au lait au café

1000 g de lait entier • 120 g de riz rond • 100 g de sucre fin
1 capsule de café Roma (bois tendre, fougueux)

1. Réaliser le brownie : faire griller les fruits secs dans un four à 180°C pendant 30 min. Dans une casserole, faire fondre le chocolat et le beurre. Ajouter les jaunes d'œufs, le sucre et la cassonade. Mélanger. Tamiser le cacao et la farine avant de les ajouter. Monter les blancs en neige et les incorporer délicatement à la maryse. Concasser les fruits secs grillés avant de les ajouter. Verser la pâte dans un moule sur 3 cm d'épaisseur et cuire dans un four préchauffé à 170°C pendant 20 à 25 min environ (four ventilé).

2. Pour le riz au lait café : chauffer le lait et le porter à ébullition. Ouvrir la capsule et récupérer le café. Quand le lait bout, ajouter le sucre et le café moulu. Puis ajouter le riz après l'avoir rincé. Cuire à feux doux pendant 30 min environ, jusqu'à ce qu'il devienne gélatineux.

L'astuce de Pierre Marcolini

SACHEZ QUE VOUS POUVEZ AUSSI CUIRE VOTRE RIZ AU
LAIT AU FOUR À 120 °C PENDANT 45 MINUTES.

ACCORD PARFAIT

Chuao pour le chocolat, Roma pour le café, voilà une association qui cartonne : le premier éclate en bouche avec des arômes de fruits rouges tandis que le second vient sublimer ce dessert avec ses notes grillées tendrement boisées.

Sucettes Café-Chocolat

Pour 25 personnes
Temps de préparation : 20 min
Temps de cuisson : 25 min

70 g de glucose
450 g de sucre fin
2 capsules de café Arpeggio (dense, crémeux, cacao)
330 g d'eau
3 g de sel
47 g de chocolat noir d'Equateur, Los Rios, grand cru de propriété, 78 % de cacao (ample)

1. Dans une casserole à fond épais, faire fondre le glucose. Ajouter progressivement le sucre pour le faire fondre lui aussi et réaliser un caramel à 160°C. Ouvrir la capsule et récupérer le café. Faire bouillir l'eau avec le café moulu et le sel. Laisser infuser pendant 10 min à couvert, avant de passer au chinois.
2. Déglacer le caramel avec l'infusion au café. Recuire le caramel à 145°C. Ajouter le chocolat et mélanger. Couler sur un papier sulfurisé en petits disques et insérer un bâton en bois. Laisser refroidir.

L'ASTUCE DE PIERRE MARCOLINI
PENSEZ À RÉALISER DE MINI-SUCETTES. UN VRAI DÉLICE À L'HEURE DU CAFÉ : IL SUFFIT DE RÉALISER DE PLUS PETITS DISQUES ET D'INSÉRER UN DEMI-BÂTON EN BOIS. LES ENFANTS (COMME LES GRANDS !) EN RAFFOLERONT...

ACCORD PARFAIT

Une note de caramel légèrement salé doublée d'un chocolat équatorien qui apporte une pointe d'amertume. Voilà un duo parfait pour le café Arpeggio, dont la rondeur fantastique apporte un côté crémeux et intense.

CETTE RELIGIEUSE MI-CAFÉ MI-CHOCO EST UN VRAI DÉLICE.
L'ESSAYER, C'EST L'ADOPTER...

RELIGIEUSE AU CAFÉ

POUR 12 PERSONNES
Temps de préparation : 1h15
Temps de cuisson : 35 min

POUR LA PÂTE À CHOUX
280 g d'eau • ½ cuil. à soupe de sucre fin
1 pincée de sel • 130 g de beurre doux
160 g de farine • 5 œufs • 1 œuf (pour dorer)

POUR LE CRÉMEUX CAFÉ
140 g de crème fraîche • 1 capsule de café Dulsào do Brasil
(suave, doux) • 35 g de jaunes d'œufs • 25 g de sucre fin
1 feuille de gélatine • 90 g de crème fraîche battue au ¾

1. Réaliser la pâte à choux : chauffer l'eau avec la demi-cuillère de sucre, le sel et le beurre. Faire bouillir avant de verser la farine et "sécher la pâte", à l'aide d'une spatule (il faut "rôtir" la pâte). Verser dans un bol mixer et mélanger avec la feuille à vitesse minimum pour faire refroidir la pâte. Verser les 5 œufs un à un dans la pâte tiède, afin d'obtenir une pâte lisse et souple.

2. Préchauffer le four à 190°C. Réaliser des boules de 6 cm de diamètre et des boules de 3 cm de diamètre, à l'aide d'une poche à douille unie. Dorer le dessus des choux avec l'œuf battu. Cuire les gros choux pendant 35 min et les petits pendant 25 min dans un four non ventilé. A la sortie du four et après refroidissement, couper les chapeaux des choux, à l'aide de ciseaux, afin de pouvoir les remplir avec le crémeux café. Réserver au frais.

3. Pour le crémeux café : ouvrir la capsule et récupérer le café. Réaliser une crème anglaise avec la crème et le café moulu. Ajouter les jaunes d'œufs battus et le sucre. Chauffer à 84°C, en mélangeant constamment. Passer au chinois et verser dans un bol froid, afin de stopper la cuisson de la crème anglaise. Rajouter la feuille de gélatine préalablement ramollie dans l'eau froide et mixer. Laisser refroidir quelques heures au réfrigérateur. Une fois le crémeux durci, le ramollir en le fouettant un peu et incorporer la crème montée au 3/4, à l'aide d'une maryse. Dresser le crémeux au café dans les choux et monter la religieuse.

L'ASTUCE DE PIERRE MARCOLINI
POUR ENCORE PLUS DE GOURMANDISE, ACCOMPAGNEZ CETTE RELIGIEUSE D'UNE SAUCE AU CHOCOLAT : IL SUFFIT DE FAIRE CHAUFFER 210 G DE CRÈME FRAÎCHE, 95 G DE SUCRE, 70 G DE GLUCOSE ET 100 G DE CHOCOLAT NOIR DU PÉROU À 103 °C.

ACCORD PARFAIT

Le café Dulsào do Brasil apporte des notes douces et subtiles. On appréciera le côté moelleux du café qui permettra de terminer sur une note grillée.

CAFÉ, CHOCOLAT ET MANGUE, VOILÀ UNE HEUREUSE ALLIANCE.
EXOSTIME ET GOURMANDISE SONT MIS À L'HONNEUR DANS CE
DESSERT ORIGINAL.

AUMÔNIÈRES CHOCO-MANGO

POUR 8 PERSONNES
TEMPS DE PRÉPARATION : 45 MIN
PAS DE CUISSON · REPOS : 1 HEURE

POUR LES CRÊPES
120 g de beurre • 250 g de farine
2 g de sel • 80 g de sucre fin
150 g d'œufs entier • 40 g de jaunes d'œufs
600 g de lait entier

POUR LES CUBES DE MANGUE AU CAFÉ
200 g d'eau • 1 capsule de café Indriya from India
(puissant, épicé, boisé) • 100 g sucre fin • 2 mangues
bien mures • 1 noix de beurre • 80 g de chocolat noir
de Java, Kemdem Lembu, grand cru de propriété,
72 % de cacao (acidulé) • Sucre de canne

1. Réaliser les crêpes : faire fondre le beurre noisette. Mélanger la farine, le sel, le sucre, les œufs entiers et les jaunes d'œufs. Terminer par le lait et le beurre noisette. Laisser reposer 1 heure au réfrigérateur avant de cuire les crêpes dans une poêle.
2. Pour les cubes de mangue : faire chauffer l'eau. Ouvrir la capsule de café et récupérer le café. Ajouter le café moulu dans l'eau bouillante et laisser infuser pendant 10 min à couvert. Filtrer avant d'ajouter le sucre pour en faire un sirop. Faire bouillir et réserver. Ôter la peau et les noyaux des mangues. Puis couper des cubes dans la chair. Dans une poêle antiadhésive, faire sauter les cubes de mangue dans la noix de beurre. Ajouter du sucre de canne pour caraméliser. Déglacer avec un peu de sirop de café.
3. Faire fondre le chocolat au bain marie. Maintenir au chaud. Au moment de servir, placer les cubes de mangue au centre et les refermer en aumônières de crêpes. Servir froid avec des traits de chocolat chaud.

L'ASTUCE DE PIERRE MARCOLINI
QUAND VOUS NE TROUVEZ PAS DE BELLES MANGUES
MURES POUR RÉALISER CE DESSERT, REMPLACEZ-LES PAR
DES POIRES JUTEUSES.

ACCORD PARFAIT

Nous sommes dans l'exotisme avec la fraîcheur des fèves de Java et l'Indriya, l'espresso "Pure Origine" de l'Inde. Ce café apporte des notes d'épices qui mettent en valeur la mangue.

CE DESSERT FERA L'UNANIMITÉ, AUPRÈS DES GRANDS COMME
DES PETITS. A DÉGUSTER À L'HEURE DU GOÛTER...

PETITS SAVARINS

POUR 10 PERSONNES
TEMPS DE PRÉPARATION : 55 MIN
TEMPS DE CUISSON : 15 MIN · REPOS : 1 HEURE

POUR LES SAVARINS
200 g de farine • 9 g de levure fraîche • 250 g d'œufs
70 g de beurre • 2 g de sel • 20 g de miel liquide

POUR LA CRÈME AU CHOCOLAT
120 g de crème fraîche à 35 % de matière grasse
180 g de lait entier • 50 g de jaunes d'œufs • 24 g de sucre fin • 50 g de
chocolat noir du Venezuela, Puerto Cabello, grand cru de propriété,
78 % de cacao (fruité et intense) • 50 g de chocolat au lait "maison"

POUR LE SIROP AU CAFÉ
200 g de sucre fin • 200 g d'eau • 4 tasses de café Roma,
soit 4 x 25 ml (bois tendre, fougueux) • 2 cartouches de gaz

1. Pour le savarin : tamiser la farine, émietter la levure et mélanger. Ajouter les œufs et pétrir avec le beurre pommade, le sel et le miel. Laisser la pâte lever pendant une heure, recouverte d'un linge humide et dans un endroit tempéré. Dresser la pâte à mi-hauteur dans des cercles de 5 cm de diamètre sur 5 cm de haut. Cuire dans un four préchauffé à 200°C pendant 15 min.
2. Pour la crème au chocolat : réaliser une crème anglaise avec la crème, le lait, les jaunes et le sucre à 83°C et verser sur les deux chocolats fondus. Mixer et recouvrir d'un film alimentaire. Laisser refroidir au frigo.
3. Préparer le sirop au café avec le sucre et 200 g d'eau. Ajouter les 4 tasses de café. Plonger les savarins dans le sirop pour les imbiber. Mettre la crème dans un siphon avec 2 cartouches de gaz et dresser sur une assiette plate. Déposer sur le côté un savarin imbibé de sirop.

L'ASTUCE DE PIERRE MARCOLINI
LES PLUS TÉMÉRAIRES RAJOUTERONT UN TRAIT DE RHUM
DANS LE SIROP AU CAFÉ.

ACCORD PARFAIT

Ici, on a voulu mettre en avant un trio particulièrement harmonieux : le café Roma qui apporte des notes de fruits secs et de la fraîcheur, le chocolat au lait dont les arômes doux et lactés équilibrent bien ce dessert ; et enfin le chocolat noir Puerto Cabello du Venezuela, subtilement fruité avec d'agréables notes de noisette.

CÔTÉ GOÛT, CE DESSERT DÉVOILE UN TRIO PARTICULIÈREMENT SAVOUREUX : UNE COUCHE DE GANACHE CHOCOLAT, UNE COUCHE DE GELÉE DE CAFÉ ET ON TERMINE PAR UNE NOISETTE DE CRÈME À LA CARDAMOME. APRÈS L'AVOIR GOÛTÉ, VOUS N'AUREZ QU'UNE ENVIE, VOUS RESSERVIR...

Ganache Chocolat, Café & Cardamome

Pour 8 personnes
Temps de préparation : 55 min
Pas de cuisson · Repos : 2 heures environ

Pour la crème cardamome
6 g de cardamome verte · 400 g de crème fraîche

Pour la ganache de chocolat au lait
200 g de crème fraîche
250 g de chocolat au lait "maison" (lacté et fruité)

Pour la gelée au café
250 g d'eau · 2 tasses de café Arpeggio, 2 x 25 ml (dense, crémeux, cacao) · 20 g de sucre fin · 2 g d'agar agar

1. Pour la crème cardamome : broyer la cardamome en poudre, à l'aide d'un moulin, d'un mortier ou d'un pilon. Passer au tamis et récupérer 6 g. Les ajouter dans les 400 g de crème et monter le tout au ¾, à l'aide d'un batteur.

2. Préparer la ganache : chauffer les 200 g de crème et verser sur le chocolat fondu. Mélanger au centre, à l'aide d'un fouet (en faisant un "noyau") en l'agrandissant au fur et à mesure. Une fois la ganache réalisée, verser 50 g par assiette creuse. Réserver au réfrigérateur le temps de réaliser la gelée.

3. Réaliser la gelée de café : faire chauffer l'eau. Ajouter les tasses de café dans l'eau bouillante. Laisser reposer à couvert pendant 10 min, hors du feu. Mélanger le sucre avec l'agar agar afin que le mélange se dissolve bien. Filtrer avant de faire bouillir à nouveau avec le sucre et l'agar agar. Laisser refroidir. Une fois la ganache bien solidifiée, verser la gelée encore liquide mais froide à raison de 30 g par assiette. Laisser prendre quelques heures au réfrigérateur.

4. Une fois la gelée prise, mettre la crème à la cardamome dans une poche à douille lisse et dresser la crème sur l'assiette. Servir immédiatement.

L'astuce de Pierre Marcolini
24 HEURES AVANT DE RÉALISER CE DESSERT, PRÉPAREZ LA CRÈME CARDAMOME ET LAISSEZ-LA REPOSER AU RÉFRIGÉRATEUR, APRÈS L'AVOIR FILMÉE. ELLE N'EN SERA QUE PLUS PARFUMÉE...

Accord Parfait

Le chocolat au lait utilisé est un blend, c'est-à-dire un mélange de fèves de cacao du Ghana et de l'Equateur. Le résultat obtenu est légèrement acidulé en bouche, avec des notes de cacao lacté qui met en valeur la cardamome. Le café Arpeggio permet d'apporter un joli contraste grâce à sa puissance.

La crème au café qui accompagne ces gaufres, voilà le petit plus qui fait la différence. En apportant une saveur supplémentaire intense et fraîche, elle accompagne à merveille les gaufres encore tièdes.

Gaufres au Chocolat

Pour 8 personnes
Temps de préparation : 45 min
Pas de cuisson · Repos : 2 à 3 heures

Pour les gaufres au chocolat

8 g de levure fraîche • 120 g d'eau • 200 g de lait entier
225 g de farine • 85 g de sucre fin • 2 pincées de sel
20 g de cacao en poudre • 60 g de chocolat noir du Venezuela,
Aragua, Chuao, grand cru de propriété, 78 % de cacao (doux)
110 g de beurre • 45 g de blancs d'œufs

Pour la crème au café

500 g de crème fraîche
2 capsules de café Fortissio Lungo (bois cendré, intense)
80 g de jaunes d'œufs • 20 g de sucre fin
3 feuilles de gélatine

1. Préparer les gaufres : délayer la levure dans l'eau et le lait. Mélanger la farine, 55 g de sucre, le sel et le cacao avec le mélange eau – lait – levure. Faire fondre le chocolat à 55°C avec le beurre et l'ajouter à la pâte. Monter les blancs avec les 30 g restants de sucre. Les ajouter délicatement à la maryse et laisser reposer pendant 1 à 2 heures. Cuire dans un appareil à gaufres.
2. Pour la crème au café : faire chauffer la crème fraîche à 80°C. Ouvrir les capsules et récupérer le café moulu. Ajouter le café dans la crème et laisser infuser pendant 10 min à couvert. Passer au chinois. Réaliser une crème anglaise avec la crème infusée, les jaunes et le sucre. Cuire à 83°C. Ajouter la gélatine préalablement réhydratée (trempée dans de l'eau froide durant 10 à 15 min). Mixer et laisser prendre au réfrigérateur pendant 2 à 3 heures. Une fois la crème solidifiée, la ramollir et réaliser une quenelle avec une grande cuillère à soupe trempée dans de l'eau chaude. Déposer 2 quenelles par gaufre.

l'astuce de Pierre Marcolini

Les vrais gourmands accompagneront ces gaufres d'une sauce caramel : il suffit de faire fondre 10 g de glucose dans une casserole à fond épais. Quand il devient liquide, ajouter progressivement 250 g de sucre. Le laisser arriver à coloration vers 170°C. Verser 150 g d'eau chaude sur le caramel (attention à la vapeur et au bouillonnement). Refaire bouillir 2 à 3 min et laisser refroidir.

accord | parfait

Ce qui caractérise le Fortissio Lungo ? Sa richesse gustative, son intensité... qui se marient vraiment bien avec la légèreté du chocolat Chuao aux notes prononcées de fruits rouges.

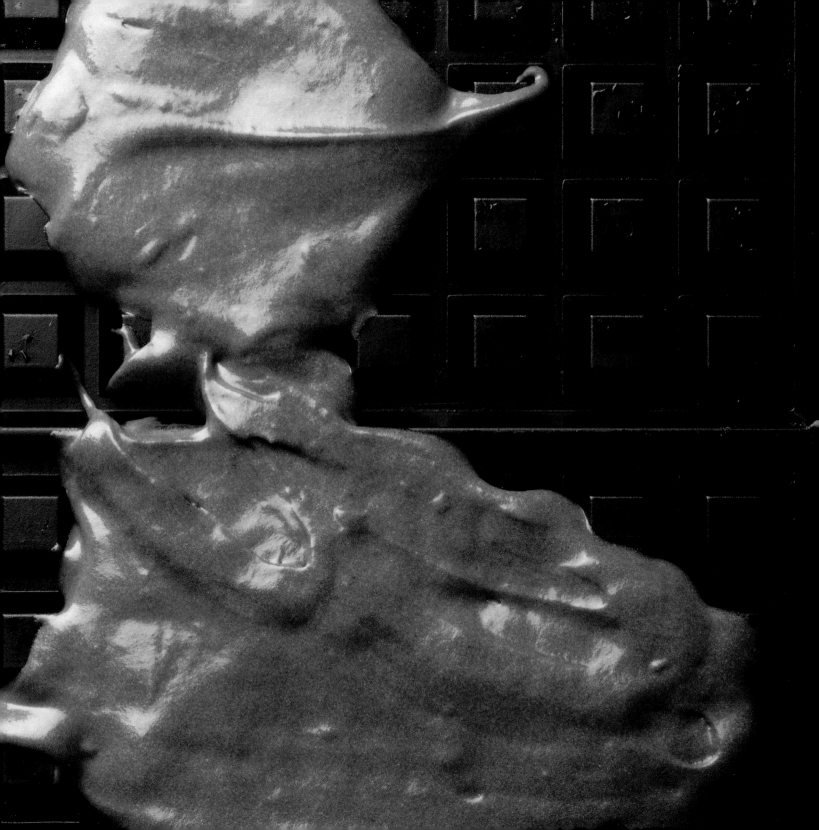

Le flan, voilà un grand classique de la pâtisserie qui compte de nombreux adeptes. Il est ici revisité au café pour le plus grand bonheur des amateurs.

Flan Café

Pour 10 personnes
Temps de préparation : 20 min
Temps de cuisson : 1 heure à 1h15

225 g de lait entier
225 g de crème UHT
2 tasses de café Ristretto, soit 80 ml (corsé, brûlant, incisif)
65 g de sucre fin
100 g d'œufs
50 g de jaunes d'œufs
30 g de farine

1. Mélanger le lait, la crème et le café. Ajouter le sucre mélangé aux œufs et aux jaunes d'œufs. Puis incorporer la farine.
2. Verser dans des moules individuels et cuire dans un four préchauffé à 100°C pendant 60 à 75 min environ (selon la taille des moules utilisés, le temps de cuisson peut varier ; le flan est cuit quand il est "pris").
3. Laisser refroidir quelques heures au réfrigérateur. Démouler votre flan. Ajouter éventuellement un filet de sauce caramel.

L'ASTUCE DE PIERRE MARCOLINI
Suivant la précision du four, on peut aussi mettre les moules dans un grand plat à gratin contenant de l'eau à hauteur. Pour cette cuisson au bain marie, réglez alors le four sur 150°C.

accord PARFAIT

Le chocolat ici choisi est à la fois doux et amer, avec une touche de fraîcheur agréable en bouche. Il met bien en valeur les notes de fruits secs grillés, à la fois corsées et subtiles, apportées par le café Ristretto.

GANACHE LACTÉE,
GLACE AU CAFÉ

POUR 8 PERSONNES
TEMPS DE PRÉPARATION : 45 MIN
PAS DE CUISSON · REPOS : 1 NUIT

POUR LA GANACHE
250 g de crème fraîche à 35 % de matière grasse
25 g de sucre fin • 250 g de chocolat au lait "maison" (lacté et fruité)
75 g de beurre doux

POUR LA GLACE AU CAFÉ
110 g de crème fraîche • 110 g de lait entier
2 capsules de café Livanto (caramel, rond) • 45 g de jaunes
d'œufs • 30 g de sucre fin • Grains de café (facultatif)

1. Réaliser la ganache : faire chauffer les 250 g de crème avec les 25 g de sucre. Verser sur le chocolat haché et créer une émulsion avec le fouet, en mélangeant bien au centre (faire un "noyau") puis en élargissant au fur et à mesure. Laisser légèrement refroidir et ajouter le beurre. Verser dans une assiette creuse et laisser durcir quelques heures au réfrigérateur.

2. Pour la glace au café : faire chauffer les 110 g de crème et le lait. Puis ouvrir les capsules de café et les ajouter dans le mélange crème et lait. Laisser infuser pendant 10 min à couvert. Passer au chinois. Battre les jaunes d'œufs avec les 30 g de sucre, les blanchir et les verser sur l'infusion au café. Cuire à la nappe jusqu'à 85°C. Laisser refroidir une nuit au réfrigérateur avant de turbiner. Au moment de servir, dresser une quenelle de glace sur la ganache et ajouter quelques grains de café pour décorer.

L'ASTUCE DE PIERRE MARCOLINI
QUAND ON RATE UNE CRÈME ANGLAISE, SACHEZ QU'IL EXISTE
UN MOYEN DE LA RÉCUPÉRER : IL SUFFIT DE LUI DONNER UN
COUP DE MIXER ET DE LA PASSER AU CHINOIS FIN.

ACCORD PARFAIT

Ce qu'on retiendra de ce dessert ? La combinaison entre la douceur du chocolat au lait (dont le côté lacté est réhaussé de quelques notes intenses de chocolat) et les arômes grillés de la glace au café. Le café Livanto, à la fois rond et équilibré en bouche, est parfaitement adapté à cette glace.

TABLE DES MATIÈRES

COLOMBIE

JAMAÏQUE · BLUE MOUNTAIN

NICARAGUA · MARAGOGYPE

ZAMBIE

JAVA

GUATEMALA · ANTIGUA

GUATEMALA · TRÈS MARIAS

BRÉSIL · BAHIA

PAPOUASIE

Taille réelle